KB166216

Premium
SLAM
DUNK
슬램덩크 완전판 프리미엄
TAKEHIKO INOUE

15

● CONTENTS ●

패배 5   2nd HALF 25   침묵의 전반 45   에이스 65   인내 85

끈질긴 사나이 105   파인플레이 124   유감독의 꿈 143   리바운드왕 강백호 분투 163

승리의 포효 183   너희들은 강하다 203   두목원숭이 IS BACK 223

SLAM DUNK

슬램덩크 오리지널 프리미엄

TAKEHIKO INOUE

15

● CONTENTS ●

빼빼 5   2nd HALF 25   혼신의 전환 45   에이스 65   인내 85
우격다짐 사나이 105   파이널레이스 124   유감스러운 폼 143   리바운드왕 강백호 북두 163
승리의 포효 183   나뒹구는 강야치 203   투쟁본능의 15 BACK 223

믿을 수 없어….

강백호!!

좋아…!

황태산은 오늘 최고다!!

내 선배님들 이지만…,

역시 믿을 수 없어.

이제 알았느냐.

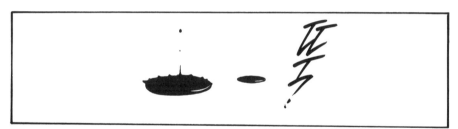

황태산…, 굉장한 녀석이지?

어떠냐, 강백호.

강백호 너처럼 성장이 빠르고….

강백호 너처럼 무대포다.

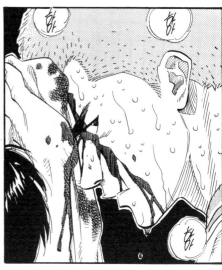

파이팅, 파이팅 능남! 이겨라, 이겨라 능남!

파이팅, 파이팅 능남! 이겨라, 이겨라 능남!

쳇!

파이팅, 파이팅 능남! 이겨라, 이겨라 능남!

예엣!!

한순간도 방심하지 마라!!

분해서...

떨고있어...!

디펜스!!

디펜스!!

디펜스!!

백호야...

...........!

안돼,
소연아….
지금은!

한나 언니ㅡ.

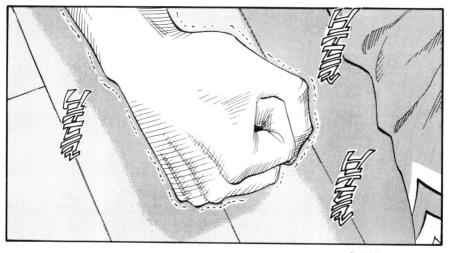

변명의 여지도
없을만큼의
패배…

신음소리도
내지 않는군….

백호에게
있어서
인생 최대의
굴욕일 거야.

진짜로군….

이녀석,

얕잡아볼 녀석이 아니다!!

이 정도의 선수였을 줄은…!!

황태산이라는 사나이…,

하지만 정대만이 상대라면 강백호가 마크할 때와 같진 않겠지.

황태산으로만 갈 수는 없겠어.

우와아아!!
가라 -!!

서태웅대
윤대협!!

아!!

하프타임.

:23 ▶ 능 남
2
3
4
32

덕차까지
라잡았군….

전반은
정대만 덕분에
살았어.

이걸로 승부는
누가 이길지
모르게 됐어.

당연하지! 이 바보같은 녀석아!!

우왓!?

굉장했어. 저 14번의 연속 3점슛!

도대체 누구지?

. . .

불꽃남자, 정대만 이다!!

저 14번 이야말로 과거 영광의 중학 MVP!

알겠냐?

북산엔 채치수, 서태웅만 있는 게 아니었구나.

서태웅…

정대만…

공백기만 없었다면 엄청난 선수가 됐을 텐데.

우리들 저 녀 3점슛에 당했

좋아, 좋아, 좋아!!

우린 할 수 있다!!

할 수 있다!!

6점차라면 쉽게 뒤집을 수 있어!!

반드시 승리한다!!

맞아!!

강백호도 3개다.

파울 3개다. 조심해.

태섭아!

예!

분위기를 되돌려놨어!

역시 대만 선배는 굉장해….

얼마전까지 농락을 당했는데 말이다…

백호야, 후반 역습이다. 알았지?!

피는 멈췄으니까 아마 괜찮을 거예요.

한나야, 백호의 상처는 어때?

승부해 주지, 강백호!

나의 승리다.

황태산, 너!!

패배자
녀석!!

으으...!
뭐라고!?
이게!!

흥....

피를
더 흘려서
그 혈압 좀
낮춰!!

한나 선배,
피가 또 나오면
어쩌려구....

그만둬!!

욱!

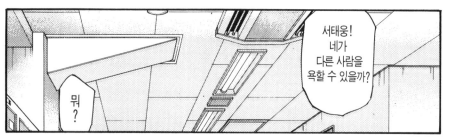

서태웅!
네가
다른 사람을
욕할 수 있을까?

뭐
?

2
점
이
네.

응?
어디보자
....

한나 선배,
서태웅이는
전반에 몇 점
득점이죠?

패배
여우!

넌
윤대협한테
진 거잖아.

패배자는
바로 너다.

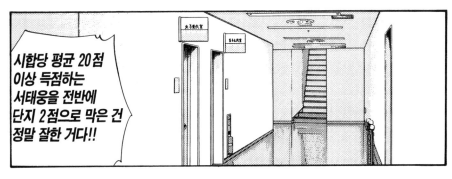

시합당 평균 20점
이상 득점하는
서태웅을 전반에
단지 2점으로 막은 건
정말 잘한 거다!!

문제는
정대만이다.

서태웅은
역시 아직
한참 멀었어.

과연
대협이형
이에요!!

나이스,
디펜스!

너석답지 않군….

그 득점 귀신이 1대1 장면에서 전혀 도전해오지 않았어….

이 시합, 지금까지는 정대만이 북산을 이끌고 있다!!

공백기가 있었다곤 하나 중학시절 도내 No.1이었던 너석이다.

절대 얕보지 마라!!

예!

우리 팀에서 수비 No.1은 바로 너다.

네!

태환아!!

상양은 너석을 얕봤기 때문에 패배한 거다!!

내 말, 명심 해라!!

정대만을 너
혼자에게
맡겨도
괜찮겠냐?

해
보
겠
습
니
다.

이제
마지막
20분이다!

좋아
...

이제 곧
경기
시작입니다!

반드시
승리해야
한다.

지금까지의
모든 건
바로 이때를
위한 것이었다!

알겠나
?

능남
농구부의
모든 걸
보여주자!!

능남고교
대기실

네
엣
!!!

능남이
나왔다!!

우와아~
능남이다!!

드디어
후반이다!!

자,
오너라!
채치수!!

이 20분 동안
마지막 결판을
내주마!!

우오오오오!

오·······

정태야.

괜찮니
···?

스태미나가 좋은 정태를
전반만으로 저렇게
지치게 만들다니!

오-
변덕규가
괴성을
지르잖아!
자신감이
넘치나봐!!

우옷.

평상시의
서태웅이
아냐….
전반 2득점
이라는 것도
이상하지만…,

그것보다
슛하는
횟수가
너무
적다….

상대가
윤대협이라서
공격이 주춤한
걸까…?

아냐! 저 녀석은
천재라 불리는 윤대협이
상대이기 때문에
더욱 강하게
부딪칠 녀석이다.

녀석의 성격이라면
윤대협에겐 절대로
지고 싶지 않을텐데….
그런데 왜 전반엔
승부하지 않았을까?

잘했어!!

전반은
버린 거냐?

혹시…

처음부터 후반에
모든 것을 걸
속셈이었나…?

대
능남전—

전반 2득점.

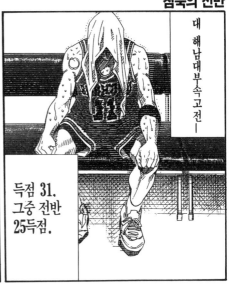

대 해남대부속고전—

득점 31.
그중 전반
25득점.

폭발적인 득점력을
40분간 유지할만한
체력이
아직 없다는 얘기지.

해남전에서
체력이 떨어진
후반에는
불과 6득점.

그리고
마지막엔
교체됐다.

서태웅은
이미
북산의
에이스다.

강백호나
정대만은
인정하지
않겠지만,

하지만, 지금은
이때쯤에
녹초가 돼버린
해남전과는
달라!!

지금 상태라면
끝까지 잘
해낼 수 있어.

전반의 침묵은 마지막에 승리하기 위한 포석 —.

그렇지, 서태웅?

♯163 침묵의 전반

※ 체인지 오브 페이스:드리블하면서 갑자기 페이스를 바꾸는 것.
수비를 제치기 위한 테크닉이다.

넌 5번을 마크해!!

이 녀석은 내가 맡겠다!!

뭣이?! 황태산은 내가…

그런 건 저 5번을 눌러버린 다음에 말해, 멍청아!!

우왓!?

강백호는 5번!!

!!

큭! 난 황태산을 쓰러뜨려야 해! 이대로 패배 원숭이로 살아갈 순 없다구…!!

허점투성이군.

엉?!

날 얕보지 마라.

트래블링!!

걸었어!!

나이스 디펜스, 치수 선배!

얏호! 힘내라, 북산!!

좋아, 좋아, 좋아!

빌어먹을, 빌어먹을, 빌어먹을!!

빌어먹을!!

흥····

으···· 왜 쳐다봐?!

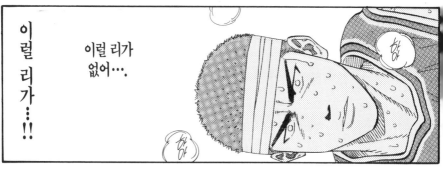

이럴 리가…!!

이럴 리가
없어….

골밑슛!

우웃, 어느
사이에
이런
기술을?!

으윽!
역시 태산이는
통하질 않아!!

변덕규,
저 천재를
막아라!!

본래의 계획

파리채
블로킹!!

우
와
앗!!

아이,
대협이
너마저!!

슬램—덩크!!

안되겠다,
대협아!!
대협아!!

하나만 확실히 넣자!!

자, 하나만!!

윤대협은 커녕, 황태산에게도 당하고, 거기다 저 5번에까지…

…그래야 하는데 뭐야, 이 꼴이…

상대의 실수로 얻은 찬스를 살려 한 골자로 만들면 후반의 흐름은 일시에 우리쪽으로 기운다!!

그래, 태섭아! 이번 한 골은 아주 중요해!!

우왓, 저것 봐!!

윽…!

저래선 아무리 대만이라도 슛을 쏘기 힘들겠어!!

멋진 디펜스다! 능남 5번!!

나이스 디펜스, 나이스 디펜스!!

태환 선배, 파이팅!

대단한 파이팅 이야!!

대만이의 3점을 막겠다는 ···!!

쳇! 정대만 봉쇄작전 인가?

이 시합에 후회는 남기지 않을 테다!!

난 내 할 일을 하는 거야!

그렇게 끝까지 버틸 수 있을 것 같냐!!

야, 너!

서태웅!

능남 7번, 푸싱!!

말도 안돼!

바스켓 카운트는 아니라구….

내가 민 건 슛하기 전이야.

원 샷!

이제 한 골 차이다!!

나이스 -! 좋았어 -!

우와앗! 순식간에 ….!

서·태·웅! 서·태·웅!

강백호의
초조함은
극에 달했다.

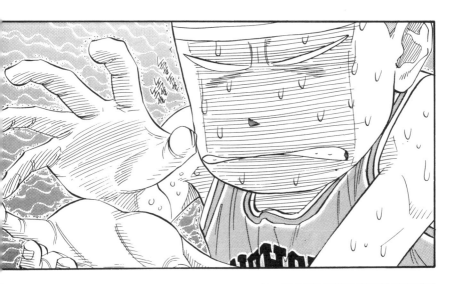

시끄럿! 입닥치고 있어!!

너 아까 뭐한 거냐?

이제 1점차!!

우와아, 좋았어—!!

이미 따라붙은 거나 마찬가지다!!

으....

윤대협은 내가 쓰러뜨린다!

할 수 있다면 한번 해봐라, 서태웅!! 어차피 넌 윤대협에게 당할테니까.

망할 녀석~! 감히 이 천재의 명언을….

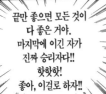

서태웅을
물리친
윤대협을 나,
강백호가
쓰러뜨리면
되는 거다!

바로
그거야!
딱아!!

끝만 좋으면 모든 것이
다 좋은 거야.
마지막에 이긴 자가
진짜 승리자다!!
핫핫핫!
좋아, 이걸로 하자!!

그래,
맞아!

!!

태산아!!

저런 바보!!
저렇게
간단히
뚫리다니!!

아
앗!

파울이다!!

역시 정대만….
간단히 점수를
주지 않는군…!

잘했다,
잘했어!!

나이스,
황태산!!

음….
그것으로
된 거다.

하지만
정대만도
득점이 없어.
태환이가
붙고서는!!

정대만이
마크하고
부터는
태산이형의
득점이 정지
상태예요.

그리고 후반에
점수를 내는 건
너희들이다.

지금부터는
너희들이
해줘야 한다.

윤대협,
변덕규!!

괜찮아요!

첫,
당했어….

라구…!!

괜찮아요!

알았다.
네가
원하는대로
해주지!

그러니
빨리 패스
해줘!!

걱정하지
마라.
내가 바로
따라붙을
테니까…!

굉장한
자신감
이군….

…라는
얼굴이군,
서태웅!!

아무리
윤대협이라도
막기 힘들
거다!!

지금 것이
우연이
아니었다면…

저렇게 빨리
움직이면서 슛을
성공시키다니!!

패스를 받아
슛할 때까지가
엄청나게
빨라!!

저런 플레이는
우리가 보는 것
이상으로
어려울텐데!!

저리
비켜!

우·연!

우·연!

우연이야!

· · · · · · ·

알고
있어요!!

서태웅은
진짜다.

같은 학년에
저런 녀석이
있다는 건…
앞으로도 계속
네가 부딪쳐야 할
문제가 될 거다.
전호장…!!

저 플레이를 내 눈에다 새겨두는 거야.

압도당해선 안돼. 같은 1학년 인데…!

빌어먹을

빌어먹을

가까우니까.

봐주고 있는 게 틀림없어! 대협이 녀석…

언제까지
빈둥빈둥
놀면서
할
거야!!

확실히
막지 못해!
기껏해야 1 학년
애송이잖아!!

뭐하는 거냐?
윤대협!!!

아침밥
안 먹고
온
거야?!

무어라?

모두가…,
황태산이나
변덕규조차 정신적으로
널 의지하고 있다.
넌 무너져서는 안돼!!

그것이
에이스의
숙명이다.

대협이가
무너지면
팀 전체가
불안해진다.

어흠
…!

대단해
…!

아!

우와아
!!

엄청
무섭다!!

서 태웅!

그때 아직 중학생 티가 났었는데!!

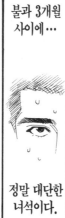

불과 3개월 사이에···

정말 대단한 녀석이다.

지금은 완전히 고교 에이스가 다 됐구나.

그 연습시합이 3개월 정도 전이었나···?

즐거워
보여!

타오르고
있다는
증거야!!

대협이형
얼굴에 생기가
도는 것
같아….

……
!

이
녀석
이…!

역시 승부는
이렇게 해야
재미있지.

지금의 서태웅은 분명히 고교 최강 레벨의 상대야.

말하자면 대협이형에 있어 가장 위험한 도전자…!!

대협이형은 상대가 강하면 강할수록 더욱 생기가 넘친다.

난 알 수 있어.

불타오르지 않을리 없지!!

그런 걸 변덕스럽다고 하는 거다.

멍청한 녀석!!

♯165 인내

조금 전 태웅이와 같은 플레이잖아…!!

조…

그렇다면 일부러?!

이제부터 시작이야!

대협이형은 이제부터야!!

잘났다!!

내가 할 수 있는 건 자기도 할 수 있다는 건가…!

와라!!

태웅아!!

아앗!!

파울이다!!

이걸로 됐어…!

아…

공을 빼앗기다니!!

시끄러, 저리 꺼져!

바보 같은 놈! 뭐하는 짓이야, 그게!!

스틸!!

와앗!!

이런…!!

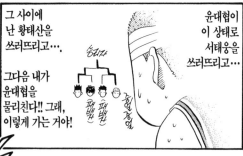

그 사이에 난 황태산을 쓰러뜨리고….

그다음 내가 윤대협을 물리친다!! 그래, 이렇게 가는 거야!

윤대협이 이 상태로 서태웅을 쓰러뜨리고…

와앗!

이 놈이!!

널 믿는다. 윤대협 …!

태섭군!!

좋아! 잘했다, 태섭아!!

아, 그런가!

대협아!!

영수가 없어!! 너와 정태 둘이서 볼을 운반해!!

능남	36
북산	35

자, 하나 넣자!!

시합은 여기서부터 양팀 모두에게 인내력이 요구되는 시간대로 접어들었다.

미안하다 정태야

미안!!

내 잘못 이었는데 ....

대협아 ...

2m의 센터
변덕규를 중심으로
한 단단한 수비로
북산에게 슛
찬스를 주지 않아

실수에 의한 실점으로
1점차로 쫓기게 된
능남은
황태산의 오펜스
파울로 일단 공격의
기회를 놓쳤지만

30초
바이얼레이션으로
볼을 다시
빼앗았다.

황태산은
정대만이

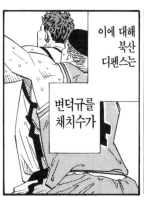

이에 대해
북산
디펜스는

변덕규를
채치수가

잘한다,
잘해!!

왁

좋아,
좋아,
좋아!!

나이스
디펜스!!

능남의
득점원을
봉쇄했다.

그리고
에이스 윤대협은
수퍼루키 서태웅이
온힘을 다한
수비로 막음으로써

좋아!! 완벽하게 막아냈어!!

30 초 다 !!

전국대회
출전을 향한
마지막
한 자리를 건

양팀의
기백 넘치는
수비는…

무려 3분간
서로에게
1점도 허용하지
않았다.

뭘 중얼중얼 지껄이고 있나!!

확실히 이 녀석과는 달라…!

윤대협에게 1대1을 해오는 1학년 이라….

저 녀석 몸에서 어떤 에너지가 느껴져….

난 대체 뭘하고 있는 거야…!!

빌어먹을…

함

함

자기 분수를 알아야지…!!

결국은…

아무도 저 녀석이 서태웅처럼 해주리라곤 생각 않는데 말야!!

뭔가 여러 가지 쓸데없는 걸 생각하는 것 같아….

역시 눈에 띄는 건 처음뿐이었어. 전혀 집중력이 느껴지지 않아.

강백호는 안되겠어.

벌써 백호 따윈 소연이 안중에도 없어!

아앗!

치잇!!

!!

파울이다!!

북산 14번!!

정대만의
파울은?

이걸로
3개입니다.

3
개
라···

쳇···!!

좋아,
좋았어!!
잘했다,
태산아!!

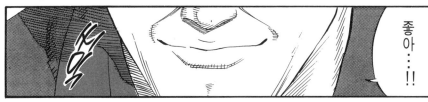

좋아···!!

그리고
변덕규도
3개입니다.

뭐라
구?

점점 승리는
능남으로
기울고 있다.

북산은 아직
깨닫지 못하고
있겠지만,
점점···

잘한다!!

좋았어! 나이스 슛!!

능남	44
북산	42

하나!!

하나 되값아 주면 돼!!

괜찮아!!

지금은 참아야 해!

차분하게 찬스를 만들어!! 간단한 슛이면 돼!!

힘내라…!! 힘들겠지만 여기서 점수가 벌어지면 안돼.

어려운 플레이는 필요없어!

패스해, 패스!!

강백호!!

질리지도 않나…!

백호야….

아직 승부는 끝나지 않았다….

황태산!!

안돼, 덕규야!
저 녀석은
아무것도
못해!!

변덕규도
3개입니다.

슈웃
—!!!

저런
바보
같은
놈!!

저건
무슨
짓이야?!

저런
어처구니
없는 슛을!
들어갈리
없잖아!!

응?

4개다!!

저 멍청한
녀석이…!!

크윽…

변덕규가
4개째
파울이다!!

……!!

이건
커!!

우와아
아앗!!

능남이 단숨에
수세에 몰리게
됐어!!

너의 공격이 녀석의 파울을 유도한 거야!! 잘했어!!

이제 능남은 변덕규를 교체할 수밖에 없어.

장하다, 강백호!!

엉?

와아아

시간이 아직 많이 남은 상태에서 4개째의 파울을 범한 경우는, 대개 다음 파울을 두려워해 벤치로 불러들인다.
5개째는 퇴장이니까.

Dr. T의 뚱보가 되는 바스켓볼 강좌

4

삐———

교체입니다!!

잘가라, 변덕규!!

이얏호 —!!

백호야! 잘했다, 잘했어!!

그래!!

내 공격이…?

빌어먹을!!

파인플레이였어, 강백호!

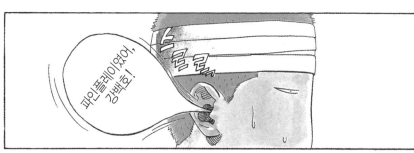

파인플레이였어, 강백호!

그런 어처구니 없는….

마지막 슛은 좋았지만 그 전의 플레이는 뭐야!!

강백호!!

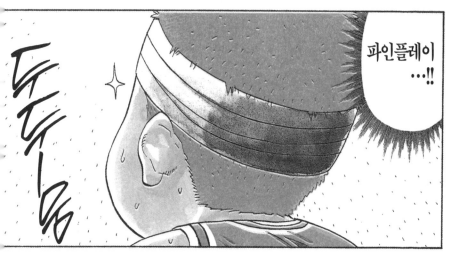

"호오..."
라니
그게 뭐야?
저 바보가~!!

호오오~!

오옷,
쟤 얼굴
좀 봐!!

!

강백호가
되살아났다!

백호야!

와 아

우와아!!

투샷!!

첫 번째
실패

왜 그렇게
이성을 잃고
블로킹을
하지 않으면
안되는 거냐?!

강백호의
슛 따위
그냥
내버려둬도
상관없잖아!!

이것들이…!!

역시
!!

……

자신을 억제할 수
없으면
평생 채치수에게
이길 수 없다!!

…예
….

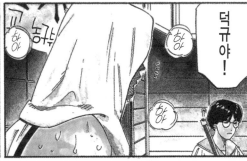

덕규야!

난 절대
포기하지
않는다.

호잇....

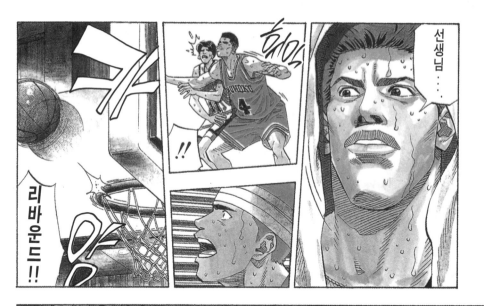

리바운드왕
강백호!!

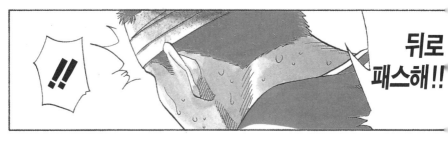

뒤로
패스해!!

나왔다-!!

파리채 블로킹!!

으라차!!

좋아···!!

저 교체 센터에겐 짐이 너무 무겁다!!

역시 안돼!

리바운드!!

쿡…!!

우와아앗!!

으...
저것들이?!

이겼봐. 잠깐!

지금은
패스가
좋았어!

나이스
패스!

나이스
패스,
주장!

이길 수
있다!!

할 수
있다.
우린
할 수
있어
...!!

질 수
없어!!

절대
지지 않아!!

하

나

두

물

이봐!
힘내,
덕규야!

조금만,
조금만
더!!

좋아
!!

아래를
보지 마!!
고개 들지
못해!!

변덕규!!

좋아,
다시 한번!

옛!!

변덕규!!

변덕규는 어디 갔나!?

뒤에서 토하고 있습니다.

변덕규, 이 녀석!!

그리고

변덕규!!

매일 토했다.

우웩!

그만 두고 싶다···.

헝헛

헝헛

감독님이 괴물처럼 보였다.

난 매일 야단만 맞았다.

이제 그만 두겠습니다···.

또···!

헉헉

헉헉

....

3년이나
계속할 수
있을리
없어요.

욱!

우욱!!

누구나
한 번은
그런 생각을
하지.

매일
생각하고
있습니다!

선배들에게
걸리적거릴
뿐입니다.

체력은
딸리고!

언제나
꾸중만
듣고!

얼굴 좀
닦아라....

......

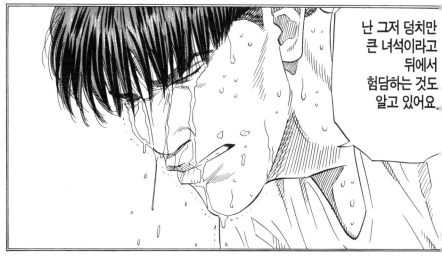

난 그저 덩치만 큰 녀석이라고 뒤에서 험담하는 것도 알고 있어요.

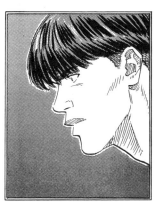

그게 바로 너다. 변·덕·규!!

·····
!!

체력이나 기술은 내가 가르쳐줄 수 있다. 하지만···!

덩치만 클 뿐이라구? 그걸로 충분하지 않니!!

올해 처음으로 팀의 중심이 될 수 있는 녀석을 얻었다.

나, 유명호가 능남의 감독이 된지 10년···.

네 키는 정말 멋진 재능이다!!

설령 내가 아무리 명코치라고 할지라도 말야….

널 크게는 할 수 없어!!

덕규야!!

능남 최초의 전국대회 출전!!

네가 3학년이 됐을 때….

난 그런 꿈을 꾸고 있다….

이 아저씨가 이상하게 보이니?

응?

이
천재의
리바운드
덕분이지!!

그래,
맞아!!
나이스
리바운드다
!!

나도
지금부터
야!!

난
지금
부터다.

네놈이야말로
전반에 아무것도
하지 못한 주제에!!

뭐야?

너 그 정도로
지금까지
발목 잡은 걸
만회했다고
생각하는 건
아니겠지?

반드시
막아내자!!

이렇게
나 자신에게
화가 나는 건
처음이다…

들어가,
들어가,
들어가!!

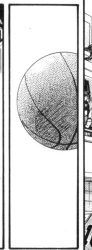

이 거리에선
들어가지
않아!!

들어가지
않아!!

리바운드!!

좋았어!!

복 받을
거야…!!

땡큐!!

굴욕이다….

그만큼
지금의
북산은
강하다.

엥?

카카카!

하지만
북산의 기세는
멈추질
않아…!

강백호!!

으…!

빨라!!

!!

외곽이다!!

절대
못 쏜다!!

이 경기는
우리가
이긴다,
변덕규!!

강하다....

송태섭과
정대만의
가세는
역시
엄청
나게
커...!!

연습시합
때보다
훨씬
강하다
...!!

침착하게
한 골만
성공
시키자!!

한
골이다!

아직 당황할만한 시간이 아냐!!

그래!!

윤대협!!

……!!

……

그거다, 대협아.

좋아……!

다시
돌리기
싫은
기억이야!!

따돌렸
다고 생각
했는데…

숫 자세에
들어가는 동안
다시 앞으로
돌아와 있어.

디펜스의
미숙함을
풍부한
운동량으로
커버하고 있어.

강백호의
타고난
운동량이
이제야
돌아왔어.

· · · · · ·
· · ·

단지 엉망진창,
뒤죽박죽으로
움직이고 있는
것뿐이라고요.

어쩌다 한번
그렇게
된 거예요.

힘내자,
힘내!!

우선은
수비다!!

여기서
하나만
막자!!

괜찮아,
신경쓸 것
없어!!

'승리'하는
것뿐일
거야.

지금
저 녀석의
머릿속에
있는 건

열심히
뛰다보니
쓸데없는
잡념이
없어진
거야.

응.

굉장해…
백호가 엄청나게
집중하고 있어!

빚은
갚아주겠다.
황태산!!

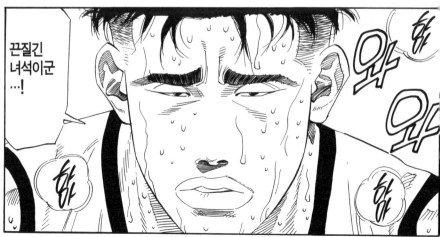

끈질긴
녀석이군
…!

앗!!

둘러싸여 버렸어!!

엉?!

......

패스!!

백호야, 너무 오래 볼을 가지고 있어!! 볼을 돌려!!

후앗!!

좋아, 잘했어!

눌러버려!!

좀더 골대 가까이에서 승부해야 해!!

크윽!! 여기선 안돼!!

스위치!!
서태웅
이다!!

점수차가
벌어지고
있어…

능남이
힘들게
됐는걸…!!

타임아웃을
부르거나,
변덕규의
투입이다….
어쨌든 참는데도
한계가 있어.

그렇게
되면
종반이고
뭐고 없다!

종반의
승부처까지
T.O.(타임아웃)
를 남겨두고
싶은 건 알지만
자칫하면 여기서
승부가 결정돼
버려!!

이쯤에서
T.O.
(타임아웃)를
불러 흐름을
끊지 않으면…!!

유선배,
아직 참는
겁니까?!

감독
님!

나가게
해주십시오!!

학교 농구부

감독님!!

아아!!

으랏차!!

리바운드!!

아직이다.

라스트 5분이
되면 널 투입한다.
그때까지 기다려라.

앞으로
4분….

디—펜스!!

디—펜스!!

알았어!!

예!!

디펜스 리바운드는 확실히 잡아야해!!

자, 모두 집중해!!

......

디펜스, 하나만 하자!!

모두들 힘내!!

우왓, 서태웅 이다!!

라스트 5분까지 어떻게해서든 잘 견뎌 다오!!

제장···. 부탁한다 !!

!!

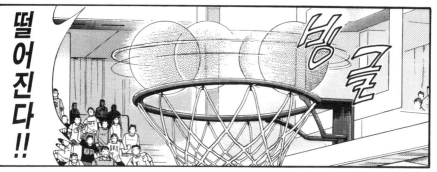

떨어진다!!

나의 승리다, 황태산!!

스크린 아웃이다, 태산아!!

좋아, 바로 그거야!!

골밑슛!

앗!!

내가 잡을 거야!!

으라차!!

이야앗ㅡ호!!

윤대협을
블로킹한
의미는
말할 수 없이
크다!!

동안
치수에게
하고
아요.

라스트 5분이라고 했다.

더 이상 기다릴 수 없습니다!!

감독님!!

와아아 아

채치수는 …

내보내 주십시오!!

채치수는 틀림없는 도내 No. 1 센터입니다…!!

채치수에 대항할 수 있는 건 저뿐입니다.

감독님!!

퇴장당하면 모든 게 끝이야. 라스트 5분까지 기다려라.

기다려!!

북산에겐 몇가지
불안요소가 있다.
지금은 아직 그것이
표면화되지 않았을
뿐이야.

반드시
다시 한번
우리쪽으로
흐름이
온다!!

참아라,
변덕규!!

덕규야!!

그때 네가 없으면
따라잡을 수
있는 것도
따라잡을 수
없게 되고 말아!!

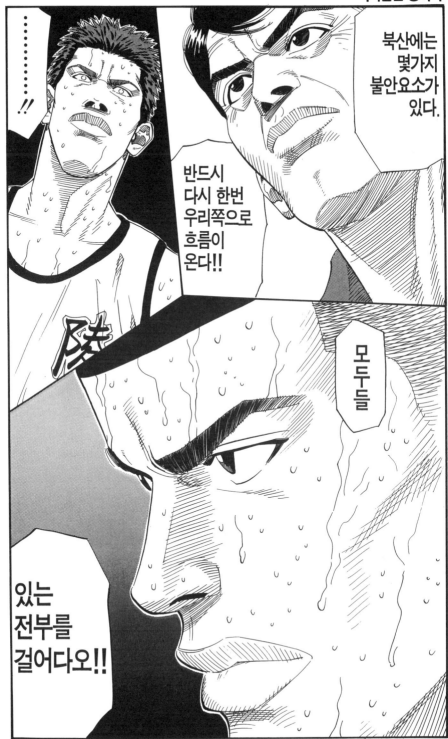

#171 너희들은 강하다

안돼,
높다!!

아
!!

잘한다,
송태섭!!

또
스틸이다
!!

멋지다,
송·태·섭
!!

좋아!
잘했다,
송태섭
!!

빌어먹을
!!

……

좋아,
한골
더 넣자!!

또 북산
볼이다!

북산의
공격시간이
길어졌어.

북 산 8:15 능 남
53 2ND 46

저 교체된
센터….
신장은
강백호 정도
될까…!

아직 8분이나 남았다.
7점 정도의 차이는
없는 것이라고
생각하는 게 좋아.

여기서
공격의
고삐를
늦추면 바로
추격당한다

공격에 더욱
박차를 가해
마지막까지
눌러버려
이겨야 한다.

이 미스매치를 이용하지 않을 수 없지!!

채치수가 공격해 온다!!

길목을 막아!!

절대 슛을 쏘게 해선 안돼!!

우웃!!

수비 범위를 좁혀!!

둘러싸!!

무턱대고 숫을 하면 안되지…!

저 센터…!!

아깝군!!

패스만 잘 받을 수 있어도…

주위에 좋은 선수가 있다면 강해질 수 있을텐데…!

자, 계속해서 볼을 돌려!!

힘내!!

전국에서도 톱클래스에 들어갈 만한 소질이…

이제야 드디어 꽃을 피우는 거야!!

강력한 팀 동료들을 얻음으로써!!

이미 북산은 인사이드에서 채치수만 막아내면 이길 수 있는 그런 팀이 아냐.

저희들이
반드시
이기겠습니다.

안선생님…!!

채치수!

정대만!

송태섭!

서태웅!

강백호!

북산은 이렇게
강한 팀이
된다는 걸
선생님은 알고
계셨던 거군요.

이 개성 강한
5명이
잘 조화됐을 때

윤대협…

예?

변덕규의 투입이
1분만 늦었더라면
북산의 승리가
결정되어
버렸을지도
몰라.

공수에 걸쳐
윤대협 혼자서
팀을 이끌고 있는
상태가 계속되어
왔다…

서태웅과의
매치업만으로도
힘들었을텐데
너무 부담이 컸어.

자칫 윤대협이
먼저
무너질뻔한
상황이었다.

역시
북산의
성난 공격은
대단해…

천재 윤대협의
힘을 저렇게
소모시키다니
…!!

녀석은
아직
2학년이야.

천재라고
불려지고
있지만…

우와아아!!
빠르다,
정말 빨라!!

저렇게
빠를
수가!!

북산은
초고속
팀이다!!

윤대협!!

아무도
따라
올 순
없어!!

!!

윽!!

절
점수
줄
없다

……!

나 정도는
언제든지
블로킹
할 수 있다고
생각했냐?

드디어
15점
차이다!!

15
점
!!

지금의 61점째의
득점이
능남에 준 충격은
엄청났다.

하나는 윤대협을
누르고
성공시켰다는 것.

6분을
남겨둔
상황에서

교체
입니다!!

변덕규의 복귀로
"좋아!
이제부터다."
라고 생각하는
능남에게

"역시
안될지도…!"
라고
생각하게
만들었다.

그리고
또 하나는
변덕규 투입
직후의
실점이라는
것이었다.

압도적으로 불리한
3대 1에서의
상황이긴 했지만
윤대협은 몇번이나
그런 것을 막아왔기
때문이었다

전국대회로
갈 수
있겠죠?!

주장!

응
?!

이럴 때일수록 소리 높여 응원해야지!!

의기소침해 있으면 안돼!!

앗, 안돼!!

아!!

파이팅 능남!!

힘내라, 능남!!

능남, 파이팅!!

힘내라, 능남!!

능남은 꽤 오랫동안 골을 못 넣고 있어요…

북산의 불안요소란 도대체 뭘까…?!

감독님은 다시 한번 우리에게 흐름이 온다고 단언했지만….

정말일까…?

북산에 불안요소가 있다고 했는데….

디펜스!!

디펜스ㅡ!!

자신도 팀도
더 이상
물러날 곳이
없었다.

하지만
그것이…

덤벼라,
변덕규!!

변덕규의
집중력을
전에 없이
날카롭게
만들었다.

15 SLAM DUNK(完)

슬램덩크 완전판 프리미엄 15

2007년 9월 23일 1판 1쇄 발행   2023년 2월 14일 2판 3쇄 발행

•

저자 ······ TAKEHIKO INOUE

•

발행인 : 황민호
콘텐츠1사업본부장 : 이봉석
책임편집 : 김정택/장숙희
발행처 : 대원씨아이(주)

•

서울특별시 용산구 한강대로 15길 9-12
전화 : 2071-2000 FAX : 797-1023
1992년 5월 11일 등록 제 1992-000026호

©1990-2022 by Takehiko Inoue and I.T.Planning, Inc.

•

ISBN 979-11-6944-810-9 07830
ISBN 979-11-6944-793-5 (세트)

•